cuentos de ahora

El sapito vegetariano

Ana María Romero Yebra / Arcadio Lobato

D1529397

Joaquín Turina, 39 28044 Madrid

En la charca grande, entre los carrizos,
tuvo doña Sapa un sapo muy lindo.

Un sapito verde, con la piel brillante,
grandes ojos fijos y boca muy grande.

Era el más bonito de todos los sapos.
Pero no comía y estaba delgado.

Su madre trataba de hacerle comer:
—Es que si no comes, no vas a crecer.

Todos esos bichos serán tu alimento.
¡Mira qué gorditos! Se llaman insectos...

—¡Si no tengo hambre, querida mamá!
¡No quiero y no quiero! ¡No me insistas más!

—¡Ay, este hijo mío! ¡No me come nada!
Tendrá que mirarlo doña Salamandra.

Y con él en brazos, se fue a consultar
a aquella doctora de fama mundial.

La doctora dijo:
—El asunto es serio
porque si no come, no tiene remedio.

Aunque yo le mande esas vitaminas,
si no se alimenta, peligra su vida.

La madre insistía:
—¡Come, chiquitín!
¡Con esa desgana te vas a morir!

¡Caza alguna mosca! ¡Prueba un gusanito!
¿Quieres que te haga tarta de mosquitos?

—No, mamá, no puedo. ¿Es que no lo sabes?
No voy a comerme otros animales.

Quiero que en la charca vivan muy felices.
No comeré nunca moscas ni lombrices.

Son todos los bichos como mis hermanos.
Voy a ser un sapito vegetariano.

Y a partir de entonces, sólo comió hojas,
trocitos de junco, pétalos de rosas ...

Tomates maduros del invernadero,
margaritas blancas y flor de romero.

Si ves un sapito feliz y contento
que ya come mucho, es el de mi cuento.